CADIZ

Fotografías / Photographs
Daniel Aubry

THE FEEL OF CADIZ

Since time immemorial and in practically all cultures the idea of the "South" and even the word itself have exerted a strong attraction, a sort of immediate and powerful magic on the most diverse personalities. The call of the "North," its reality and global image, could be said to be masculine. While the call of the "South" with its warmth and enticements is distinctly feminine in nature. Not in vain then could Cádiz in all its variety be called the "South of Souths," the essence of "southernness," the southernmost point not only of Spain but of the whole width and breadth of Europe. The history of Andalusian life, and with significant subtleties, the history and life of the Gaditanos, or people of Cádiz, with its light and shade, its whole "raison d'etre," can only be understood in terms of its intensely southern geographic conditioning.

Putting aside the capital "C" in Cádiz and calling it by its correct Greek and Roman names, Gadeira and Gades, it might look strange but it would be grammatically correct to also put Cádiz in the plural. And not just grammatically correct either, because Cádiz—Mediterranean on one side and Atlantic on the other, with its myriad microclimates, and four clearly defined regions including two coastal ones and two mountainous ones—Cádiz is nothing if not plural. In fact even this definition of Cádiz is simplistic unless you add the Bay of Cádiz opening onto the marshy mouth of the Guadalquivir River; the backcountry of Jerez, the mountainous spine running from Arcos de la Frontera to Ronda and the hinterlands of Gibraltar. It is both the intent and the considerable achievement of this assemblage of photos that they convey the past and present of Cádiz, its character and strengths, sometimes hidden behind a fresh or festive facade, but behind which lie a layering of cultures extending over millennia, or better still, fused together in time.

A book project of mine will one day describe the mark left by Cádiz and its Bay on human literary and historical memory—from the time of Plato and Pliny, right through to the present and such contemporaries as Genet, Garcia Marquez and Go Osaka, not forgetting Columbus, Cervantes and Lord Byron, or for that matter Trotsky, Dumas, Ezra Pound, Pio Baroja and Andersen. Cádiz is not just on the sea but part of it—as it juts into the Atlantic—a city without land, crowned with towers and battlements rising up out of the shimmering ocean, remote, offering the adventurous voyager one of the best preserved and most graceful 18th-century urban enclaves in Europe, which seems, with its colonial flavor, to still feel the pull of the Americas, and to live in the memory of its great seafaring past. Cádiz is at once affecting and blasé, as befits a city that prior to the Christian era already was evoked in Latin texts. Its famous Carnival, which Daniel Aubry portrays with color and brio at the close of this book, has its roots in the joyous sailors' fiestas, and the musical and erotic artistry of the celebrated dancers of Cádiz which enlivened the Imperial court of Rome until its fall.

Alongside of the 3,000-year-old city and clustered on the surrounding bay are the sun-washed and salty towns of Puerto de Santa Maria and Puerto Real, Chiclana and at its extremity, San Lucar de Barameda, jointly forming, despite their historical diversity, an indivisible and environmental whole—the Bay of Cádiz.

Further inland, Jerez, famous for its Sherry wines and its equally distinctive monuments, jealously guards the brewing tradition which caused William Shakespeare to praise its noble vintages. Updating its long standing love affair with thoroughbred horses, Jerez now welcomes to its world championship speed racing track, horses of another color—they are streaking metal meteors on wheels. But Jerez's passion for the breeding of fiery fine horses and brave fighting bulls remains unabated. Jerez is home to the Royal Andalusian School of Equestrian Art, which is in no way inferior to its Viennese cousin. The artistry of its "rejoneadores," or bullfighters on horseback, has extended Jerez's fame for superb horsemanship to the entire province. Worldwide, Jerez is still best known for its "bodegas" or wine cellars, peaceable cathedrals in whose half light, rows upon orderly rows of pyramidal casks slowly mature the fruit of the area's vines. Jerez counts among its architectural treasures, palaces and churches with the patina of centuries, which sharpen the pleasure of strolling through its streets and plazas. It has interesting and little known museums. Twice a year, in spring and fall, Jerez puts out a welcome mat for its two celebrated Fairs or "Ferias"—the April Horse Fair and the Harvest Fair. With Seville and Cádiz, Jerez is one of the three principal birthplaces of pure Flamenco, that uniquely haunting Gypsy Andalusian strain of music, here performed with its own distinctive and deeply felt accents.

Also present in the following pages is a panoply of "white villages" which run along the mountainous spine of the province, and which are increasingly being sought out by a horde of admirers who will have to worry about preserving the pristine scenery and peculiar identity of these seductive "pueblos" or witness the gradual disappearance and deterioration of that which attracted them in the first place. Worthy of mention are Medina Sidonia and Alcala de los Gazules, that "eagle's nest" at the entrance to the mountain route. Arcos de la Frontera, with its whitewashed narrow streets whose tracery dates back to the Moors, is perhaps the most spectacular and most visited of the hill towns because of its setting, perched over a high gorge, amidst olive and orange groves against a backdrop of forbidding mountains. But just as rewarding and equally worth the journey are the more remote pueblos such as Grazalema, El Bosque and Zahara, and further still a stunning duo on the border with Malaga—Setenil and Olvera. An obligatory shopping stop must be made at Ubrique, a village entirely devoted to handcrafted leather goods.

At the Province's eastern extremity are the hinterlands of Gibraltar, with the Jib-like peak, whose ownership is still being disputed with the British, rising out of the mist. Next door to the "Rock" is Algeciras—the province's international "Super port," its waters constantly churning with incoming and Africa-bound ferry boats and the heavy traffic of container ships. Near Tarifa the straits are so narrow that Africa seems to be within arms' reach. Turning its ever-present winds to financial advantage, Tarifa is now the undisputed European capital of windsurfing, and tanned denizens of the sport flock year round to its wide sandy beaches. Westward lie the Roman ruins of Baelo Claudia, with its fallen gods and wizened stone, which fittingly open this book. Still to the west are the towns of Barbate and Conil, whose tuna fishing techniques—the "almadraba" also date back to Roman times, and the hill town of Vejer, on a promontory overlooking the widening mouth of the straits.

But enough of this prologue, and let the photos speak for themselves—this cavalcade of images, whose sharpness of vision we owe to Daniel Aubry, a true and perceptive lover of Cádiz in all its multiplicity.

AMBITOS GADITANOS

De toda la vida y prácticamente en todas las culturas occidentales, la palabra y la idea de Sur han ejercido un atractivo especial, han derramado una inmediata y poderosa magia en las más dispares sensibilidades. El llamamiento de los Nortes, su realidad y su imagen de conjunto, se dirían de cualidad masculina. Y de índole femenina, en calidez y alicientes, la llamada de los Sures. No en vano, pues, podían ser Cádiz y su diversísimo entorno lo que son: un Sur de Sures especialmente sugestivo, la comarca más suroccidental no ya sólo de España, sino de toda la ancha Europa. La historia y la vida gaditanas, sus luces y sus sombras, tienen carácter y razón de ser en ese llamativo y avanzado emplazamiento geográfico, en su muestraria, intensa condición sureña.

Capital aparte, y como lo sugieren sus nombres griego y romano *Ta Gadeira y Gades*, en plural los dos, lo raro pero lo correcto sería decir, también en plural, *los Cádices*, ya que tratamos de un territorio abierto en punta al Atlántico y al Mediterráneo, múltiple de ambientes, de microclimas, y claramente diferenciable en cuatro espacios, dos marítimos y dos interiores, que tampoco lo agotan por entero: bahía de Cádiz con la desembocadura del Guadalquivir a un lado; campiña de Jerez; serranía entre Arcos y Ronda, y Campo de Gibraltar. De todos esos ámbitos pretenden y logran las fotografías de estas páginas transmitir intimidades y sustancias de ayer y de hoy, rasgos y fuerzas, escondidas a veces tras las más frescas o festeras apariencias, pero en las que laten milenios y culturas superpuestas, fundidas mejor dicho.

Un libro ahora en proyecto dará en su día cuenta, seguro que incompleta, de la huella dejada por la ciudad de Cádiz y su bahía en la memoria literaria e histórica de las épocas, desde Platón y Plinio hasta recientes y distantes contemporáneos como Genet, García Márquez o Go Osaka, pasando por Colón, Cervantes y Lord Byron, por Trotski, Dumas o Pound, por Pío Baroja y Andersen. No arrimada al Atlántico sino metida en él, ciudad sin tierra, coronada de torres, de murallas, altas sobre la luz oceánica, la apartada Cádiz brinda al viajero uno de los pocos cascos urbanos del siglo XVIII mejor conservados y más gráciles de Europa, playas para un estío de cinco meses como todo el litoral gaditano, un cierto y colonial regusto a Iberoamérica, radicado en sus grandes tiempos navegantes, y en modo de ser entre afectivo y desenfadado, rastreable ya en textos latinos y referencias anteriores a Cristo. Su mismo y célebre Carnaval, con el que Daniel Aubry pone a este libro un postre de excelentes imágenes, puede evocarnos sin mayor esfuerzo las divertidas fiestas marineras o el arte musical y erótico de las cantoras y bailarinas de Cádiz que alegraron la Roma imperial hasta el siglo IV.

Junto a la ciudad trimilenaria, el contorno de la bahía con sus populosas y salineras poblaciones que gozan de larga solera, Puerto de Santa María y Puerto Real, San Fernando, Chiclana y en cierto modo Sanlúcar de Barrameda, deben considerarse un todo indivisible, una unidad ambiental interdependiente y, a la vez, personal en cuanto a esos diversos núcleos históricos.

Un poco más arriba, el vinatero y monumental Jerez despliega un espacio urbano y un mundo campesino muy diferentes, cuida el piropo con que el señor William Shakespeare celebró sus caldos y compagina una puesta al día de bólidos y rallys con sus antiguos amor y dedicación por el caballo de raza y por el toro bravo, criaturas de lustroso fuego que en la tradición de una Escuela ecuestre origen de la vienesa, y en el arriesgado quehacer de los rejoneadores, toreros y jinetes jerezanos, agregan rango y nombradía tanto a la ciudad como a la provincia toda. Efectivamente y aunque las de mayor alcance mundial sean, como en El Puerto, sus bodegas —esas sosegadas catedrales de hondos toneles en penumbra—, Jerez cuenta con otras y numerosas prendas, un haz arquitectónico de edificios religiosos y civiles nimbados por los siglos, que acrecientan el placer de vagar por sus plazas y calles, algún museo más interesante que conocido, la gracia de las Ferias primaveral y vendimiera, y el culto al arte flamenco, siempre de posible degustación y de notoria pureza y acentos propios en el Jerez que, junto con Sevilla y Cádiz, es una de las tres cunas o Mecas de la música gitanoandaluza.

Presente también en las páginas que siguen, la sierra gaditana está apenas abriéndose a una influencia de admiradores y a un turismo en ciernes que habrán de atender a la identidad y la preservación de aquellos paisajes y pueblos seductores, si no quieren ver en deterioro cuanto allí los atrae. Sobre Medina Sidonia y Alcalá de los Gazules, esa atalaya aguileña y puerta vistosa de la serranía, que es Arcos, se diría un índice de toda ella: cales y verdores, longevas plazuelas y callejas de arábiga traza, iglesias añosas, horizontes de monte bravo y de olivar, una limpieza elevada casi a devoción, nos adelantan en Arcos los sabores, semejantes pero distintos, de Grazalema o Zahara, de Olvera o Setenil, de El Bosque y el industrioso Ubrique, primor de marroquinerías.

Más abajo se extiende el Campo de Gibraltar, presidido por la giba del Peñón indebidamente británico. Se avista, casi se palpa Africa desde una Tarifa que hoy favorece el windsurf y torna en divisas sus vientos. Quedaron costa atrás, a oeste, las almadrabas y playas de Barbate y Conil, el empinado Vejer, el recinto de Baelo Claudia cuyos dioses y piedras sabias va también a evocarnos la cámara de Aubry, así como el destino terrestre y marítimo, de superpuerto y grapa cosemundos, que condiciona y transforma a toda bulla la bahía de Algeciras y La Línea, no tan iluminada ya por la luz de los clásicos como por las fabriles.

Pero ciérrese aquí este preámbulo y ábrase a nuestros ojos la cabalgata fotográfica cuyas agudezas y perfecciones sólo pueden deberse —como se deben— a un buen amante de la tierra y las tierras de Cádiz.

Hace dos mil años, en tiempos de Cristo, Baelo Claudia, hoy Bolonia, era una pequeña pero activa ciudad romana de quince mil habitantes que vivía de la pesca del atún. Los atunes eran salados o conservados en aceite de oliva y enviados en ánforas a todos los rincones del Imperio. Tal como los estadounidenses de hoy con sus McDonalds, los romanos exportaban su civilización a todas partes. Baelo, por ejemplo, era toda una "Roma en miniatura", hasta con su teatro y sus termas.

Two thousand years ago, at the time of Christ, Baelo Claudia, now known as Bolonia, was a thriving "factory town" of some 15,000 inhabitants, whose livelihood depended on tuna fishing. The tuna were salted or preserved in olive oil and shipped in amphorae throughout the Empire. Like the Americans of today with their McDonald's, the Romans took their civilization with them wherever they went. Baelo, for instance, was a miniature "Rome" with its own theater and baths.

De Derecha a Izquierda: Una estatua de Neptuno yace apropiadamente junto al mar entre las piedras nobles de Baelo. Otras importantes muestras del paraje: este recipiente ceremonial de piedra en una sola pieza y un capitel en forma de corona.

Clockwise: Neptune lies within a stone's throw of the sea amidst the noble ruins of Baelo; A huge ceremonial recipient carved out of a single piece of stone and an elegant capital in the shape of a crown.

Museo de Cadiz

Con veinticinco siglos, estos sarcófagos púnicos presiden las riquezas arqueológicas de la capital gaditana. Tras el hallazgo del sarcófago masculino en 1887, su descubridor siempre creyó en la existencia del femenino, que, un siglo más tarde y muerto ya el hombre, fue hallado ¡bajo el jardín de su propia casa! Aunque sería romántico pensarlo, la pareja de piedra no lo fue en vida. La mujer tiene fecha aproximada del 470 a.de C. El hombre es del 400 a.de C.

Cadiz Museum

Discovered a century apart, this pair of marble sarcophagi is the cornerstone of the Museo de Cádiz's exceptional archaeological collection. The archaeologist who discovered the male figure in 1887 always hoped some day to find its female counterpart. Nearly a century later, in 1981, the female figure was found in the archaeologist's own backyard! The female dates from approximately 470 B.C. and the male from 400 B.C.

Durante el carnaval gaditano los empleados del museo se disfrazan festivamente de personajes históricos. Vestido de fenicio, Luis J. Sánchez aparece junto a su homólogo de piedra.

Izquierda: En el luminoso patio de esculturas romanas del museo, un padre y su hija contemplan este bello y clásico ejemplar de atleta.

During Cádiz's Carnival, museum employees get into the spirit of things by dressing up as historical figures. Here, Luis J. Sanchez, dressed as a Phoenician, poses next to his stoney counterpart.

Left: In the luminous patio devoted to Roman statuary, a father and his daughter examine an excellent example of the classic Roman athlete.

Izquierda: Estas torres-miradores son muy típicamente gaditanas. En su época de mayor gloria, Cádiz contaba con unos 160 miradores, de los que sólo se han perdido 20.

Arriba y derecha: Su variopinta cúpula de mosaicos da un delicioso toque de color al paisaje urbano.

Left: These watch towers are very typical of Cádiz. At the height of its glory in the 18th century Cádiz boasted over 3,000 of them! Today only 167 survive.

Above and right: The cathedral's multihued mosaic dome adds a delightful note of color to the urban landscape.

Arriba: La habitual expresión de que una ciudad da al mar o está junto al mar es inexacta para la capital gaditana, ya que Cádiz se adentra en el mar y su casco antiguo queda unido a la tierra firme tan sólo por un largo y raro tómbolo o istmo arenoso. El área de la ciudad se reduce en mareas altas a poco más de 7 kilómetros. Esa absoluta dependencia que Cádiz tiene hacia del mar, tanto para la navegación como para el comercio, ayuda a explicar todos los altibajos de sus tres milenios de historia.

Top: It is not unusual to speak of a city as being by the sea or on it but the city of Cádiz is actually immersed in the sea. Its most ancient extremity juts out like a polyp, joined to "terra firma" only by a thin strip of sand. This utter dependence on the sea, both for navigation and for commerce, helps to explain all the ups and downs in the city's checkered 3,000 years of history.

La provincia de Cádiz entera es como un museo al aire libre. Por donde mire uno encontrará graciosas esculturas y finos detalles arquitectónicos. El "marinero" de la página izquierda es Paco Alba, un célebre "chirigotero", o compositor carnavalesco.

The entire province of Cádiz is like an open air museum with wonderful sculptures and architectural details virtually everywhere you look. The figure on the opposite page is Paco Alba, a popular composer of carnival songs.

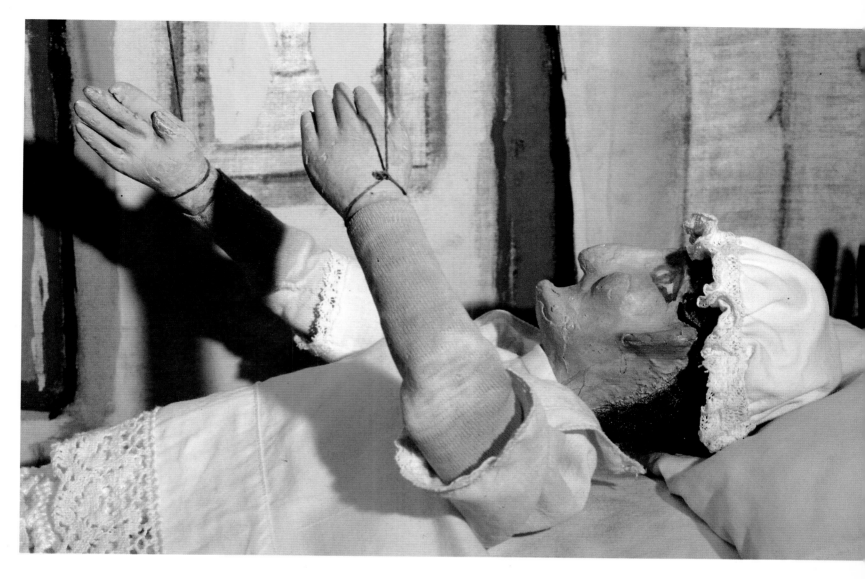

Al menos desde el siglo XVIII, Cádiz ha gozado con sus marionetas, consideradas las más antiguas de España y aún en activo. Antes de que existiera la televisión, las de la popularísima Tia Norica y su pandilla fueron el "culebrón" de varias generaciones de gaditanos y hoy ocupan un sitio de honor en el museo. Debido a su gracia "naif", merecen una visita.

In the days before television, puppet performances made the Gaditanos laugh and cry, much as the TV soap operas do today. Legendary among the most popular marionette personalities was La Tia Norica and her entourage, who are honored on the museum's second floor in the captivating "Titeres de la Tia Norica" display—a sentimental favorite.

Entre atlántico y mediterráneo, un mar generoso depara a los gaditanos, desde hace milenios, toda suerte de peces y mariscos. Gades, la Cádiz romana, ya acreditaba en la ciudad de los Césares, junto a sus bailarinas y cantoras, su atún, que ahora vuela a Japón. Pero esas bondades, se las ofrece el mar a los gaditanos a cambio de interminables horas de trabajo, caras y manos arrugadas y un sinfín de peligros diarios.

UNDER THE SIGN OF PISCES

Sandwiched between the Mediterranean Sea and the Atlantic Ocean the coast of Cádiz has always provided the Gaditanos (from "Gades,"—the Roman name for Cádiz) with an ample bounty in every sort of fish and shellfish. But the sea's generosity comes at the expense of long hours, calloused hands and ever-present danger. Still, fishermen for timeless generations, the Gaditanos unquestioningly cling to their arduous and adventuresome way of life.

Arriba y centro: Por la costa de Cádiz, los barcos de pesca se siguen haciendo de madera, a mano, y respetando todas las antiguas usanzas.

Arriba: Viviendo como viven, sujetos al caprichoso mar, los pescadores gaditanos solicitan anualmente la ayuda de la Virgen en esta tradicional procesión por las aguas de la Bahía de Cádiz.

Top and middle: All along the Cádiz coast wooden fishing boats are still fashioned by hand in the time-honored method.

Above: Fisherman annually seek the protection of the virgin in this sea-going religious procession in the Bay of Cádiz.

▶ Frente a la mole del Peñón, el nombre de esta barca de pesca parece reivindicar tácitamente la españolidad de Gibraltar, un antiguo contencioso entre España y Gran Bretaña.

▶ *A fishing boat stamped "España" lays tacit claim to Gibraltar, a contentious hunk of rock belonging to England but long claimed by the Spanish as a rightful part of Spain.*

En tierra, las redes de pesca requieren un mantenimiento continuo, laborioso e ineludible. Una fuerte red sin la mínima rotura es la herramienta esencial en la tradicional forma de pesca gaditana, que consiste en cercar con redes a toda una emigración de peces en su paso hacia el estrecho de Gibraltar. Esas redes o arco de redes se denominan "almadrabas". Páginas siguientes.

Mending nets is a never-ending chore for Cádiz fishermen. Gaditanos use strong nets to encircle schools of fish that migrate rapidly through the Straits of Gibraltar—the traditional method is known as the almadrabas. Following pages.

Varios barcos de pesca colaboran para efectuar el "cerco" y luego sus componentes se reparten las ganancias de este duro esfuerzo común, el cual a veces les ocupa un día y su noche sin parar. Poco a poco se van estrechando las redes hasta que sólo queda un plateado revoltijo de peces haciendo hervir el agua con sus desesperados esfuerzos por liberarse. Es entonces cuando los hombres saltan a las redes para aligerarlas de su carga en el emocionante final a esta redada, cuyos antecedentes se remontan a la prehistoria.

A number of fishing boats are needed to effect the full circle around a sizable school of fish. Afterwards the crews share among themselves their hard-won earnings from what is often a 24-hour day. Little by little the crews pull in their nets, tightening the circle, until all that remains is a silvery frothing mass of fish struggling to escape from the nets' ever tightening grip. Only then do some of the men jump in among the fish to lighten the nets in this emotional finale to a fishing tradition dating back to the prehistory of man in this region.

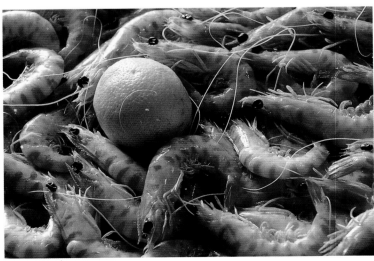

Éste es el célebre restaurante "El Faro" de Cádiz. Su dueño, Gonzalo Córdoba, posa junto con el jefe de cocina, Miguel Pérez Gutiérrez, delante de los típicos frutos del mar que ofrecen a diario a su leal clientela.

This is the famous Cádiz restaurant, "El Faro." Its genial owner, Gonzalo Cordoba, poses with Chef Miguel Perez Gutierrez, in front of the typical seafood which it offers to its loyal clientele, each and every day.

LOS PUEBLOS BLANCOS

Al noreste de la provincia, las poblaciones de la sierra salpican con su blancor una larga y soleada extensión de paisajes, olivos, viñedos y montes de agreste hermosura natural. Sobre cerros empinados a los que coronan un castillo, un añoso templo, o bien en valles verdes por los que pasta el toro bravo, los pueblos que agregan a su nombre el apellido "de la Frontera" formaron parte hace siglos, como en Andalucía toda, de los movedizos límites en la lucha medieval entre cristianos y musulmanes. Por estas serranías, el camino de los "pueblos blancos" deleita los ojos y el toque de poesia que casi todos llevamos dentro.

WHITE VILLAGES

Blazing brilliant white in the omnipresent sunshine along the mountainous spine of the province of Cádiz, the pueblos blancos (white villages) are dazzling sentinels of scenic beauty. Surrounded by vast stretches of olive groves and vineyards, many cling to steep hillsides crowned by castles in ruins or towering cathedrals. Those that incorporate "de la frontera" in their names once strode the volatile border between Islam and Christianity as these two camps struggled for dominion over a land blessed with generous soil, prosperous ports, inviting beaches, and vistas to please both the eye and the soul.

Éste es el serrano pueblo de Setenil de las Bodegas en plena "primavera blanca", esa que cantaba Federico García Lorca.

El nombre de Setenil proviene del latín septem nihil (siete veces), porque siete fueron las veces que los cristianos intentaron tomar el pueblo a los árabes sin conseguirlo.

This is the hill village of Setenil de las Bodegas, in all the splendor of its "white spring," as sung by the poet Garcia Lorca.

Setenil's name comes from the Latin—septem nihil (seven times nothing)—which is the number of times the Christians tried to wrest it from the Moors without success.

Arriba: Monumento nacional histórico-artístico, Arcos de la Frontera es una de las localidades más vistosas de España. Desde su privilegiada altura sobre el río Guadalete se atalayan kilómetros de naranjales y almendrales, de viñas y olivares, de dehesas para gallardos caballos y toros.

Derecha: Este par de cigüeñas ha hecho su nido entre las cornisas de la torre de la iglesia de Bornos. O bien son sordas, o debe de gustarles el trueno de las campanas!

Página derecha: Estos tejados corresponden al serrano pueblo de Grazalema, enclavado dentro del "Parque Natural" al cual da su nombre y que cuenta con una gran riqueza de fauna y flora. En cuanto al pueblo, tiene una de las más altas publiosidades de España, y en invierno, a veces, sus tejados se cubren de nieve.

Above: Declared a national historic and artistic monument in 1962, Arcos de la Fronteras is one of the most striking towns in all of Spain. From its commanding bluff it overlooks a vast, fertile plain producing oranges and almonds, wine and olives, fighting bulls and regal horses.

Right: These storks have set up housekeeping atop the church tower of the town of Bornos. Either they're stone deaf, or they must love the clanking of the bells!

Opposite page: These are the tiled roofs of the hill town of Grazalema, at the heart of the Natural Preserve which bears its name. It has the highest rainfall factor in all of Spain, and in winter its roofs are often snow-clad.

Después de los tristes años de la emigración, la alegria infantil sazona de nuevo con sus risas y ocurrencias los patios, los jardines, los más ensolerados rincones. Estos corresponden al muy típico y atractivo pueblo de Vejer.

After the sad, long years of emigration, childish laughter once more fills the streets. The children of the new Spain clown happily in sun drenched patios and plazas, such as these in the hill town of Vejer.

Como en el resto de España, los trabajos del campo en la provincia de Cádiz se han mecanizado mucho, pero algunas labores se resisten a todo tipo de progreso y tienen que seguir haciéndose a mano y por los métodos tradicionales. Para éstas, el fiel asno sigue siendo un modo de locomoción y de tracción ideal, tal como lo demuestran este padre e hijo del pueblo de Olvera (foto grande) que todavía a diario salen al campo, tal como lo hacían sus bisabuelos, con sus asnos.

In Cádiz, as in the rest of Spain, much of agriculture has become mechanized. But certain jobs still have to be done by hand, or with the help of mules—an ideal and cost effective means of traction and transportation (above). This father and son from the village of Olvera, still take to the fields each morning, as in generations past, with their faithful brace of mules.

Hace poco se pensaba que la alocada juventud de hoy, con su fama de impaciente, no se conformaría con el largo aprendizaje del maestro artesano. Los pesimistas se equivocaron. La artesanía no sólo no ha muerto, sino que, en los pueblos blancos de Cádiz, está en pleno auge. Aquí tienen algunos ejemplos:

Arriba: Este fabricante de guitarras del pueblo de Algodonales le da el último toque a uno de sus instrumentos.

Derecha: En muchos de los pueblos se trabajan todavia el mimbre, la caña y el esparto.

En la página derecha: Ubrique, en la sierra gaditana, es maestra en las artes del cuero. Maletas o chalecos, bolsos o cinturones, se elaboran con tenaz rigor tradicional. "Legítimo Ubrique" es el sello de calidad que garantiza estas confecciones artesanales.

Not long ago it was a widely-held belief that today's youth with its "fast lane" mentality would be unwilling to undergo the long apprenticeship required of the master craftsman. The crafts were thought to be dying. In the white villages of Cádiz, however, they're thriving. Here is a only a small sampler.

Above: A guitar maker in Algodonales puts the finishing touches to his instrument.

Right: In many of the villages furniture and domestic utensils are still made of traditional materials, such as this cane chair.

Right page: Ubrique, one of the pueblos blancos is noted for its way with leather. From valises to vests, belts to handbags, every item is fashioned with rigorous tradition. "Legitimo Ubrique" is the stamp of fine craftsmanship.

Este limonero crece junto a los muros del pueblo encastillado de Castellar de la Frontera.

This lemon tree grows just below the battlements of the walled town of Castellar de la Frontera.

En los pueblos, una vez recogida las cosechas, hay tiempo para esa actividad tan acogedora que es la tertulia, una sencilla y a veces espontánea reunión de amigos.

One of the niceties of village life is that once the crops are in there's time for a tertulia—an impromptu gathering of friends, such as this one.

Arriba: La sierra de Cádiz es ideal para el excursionismo. Estos jóvenes hacen una parada en el camino cerca de El Bosque para admirar un paisaje que se extiende por todo el amplio y verdoso valle.

Derecha: Esta agrupación juvenil de Jerez ha elegido bien el lugar de su acampada, con unas maravillosas vistas hacia el serrano pueblo blanco de Olvera.

Above: The high sierras of Cádiz are a hiker's delight. These three pause to take in a vista which extends for miles along the verdant valley below.

Right: These young campers from Jerez have wisely chosen their camping site. They wake up each morning with a glorious view of the white village of Olvera.

En la página derecha: El estrecho paso entre Africa y Europa crea como un túnel de viento, que sopla fuerte y constante durante casi todo el año. Lejos de quejarse de ello, los ingeniosos gaditanos le han sacado siempre el máximo provecho.

Los antiguos molinos de viento con sus elegantes aspas de tela han pasado a la historia, reemplazados por estas no menos elegantes torres eólicas que proporcionan energía eléctrica a la comarca de Tarifa a muy bajo precio, ya que "la materia prima" les sale gratis.

Arriba: El estrecho de Gibraltar en su punto más "estrecho", por las cercanías de Tarifa.

Derecha: Torreón de guardia en Tarifa, con otra vista del estrecho.

Right page: The straits of Gibraltar, separating Europe from Africa, act as a gigantic wind tunnel, with constant breezes of varying strength, virtually throughout the year. Rather than complain about the wind, the ingenious people of Cádiz historically have harnessed it to their own uses. Today these elegant wind generators provide the Tarifa region with cheap electricity (after all, the "fuel" is free!)

Above: The straits at their narrowest point, near Tarifa. The far shore belongs to the African continent.

Right: An ancient tower in the city of Tarifa still "watches" over the straits.

◄ En la doble página anterior:
Otro uso espectacular del
viento: la práctica del vuelo en
ala delta. En el fondo, un
pueblo blanco enclavado en la
sierra de Grazalema.

◄ **Previous pages: Harnessed for
pleasure: the wind carries this
hang glider effortlessly over the
valley of Grazalema.**

Todas estas fotos corresponden al Campeonato Nacional de windsurfing, cuyo evocativo nombre es "El Toro Andaluz".

All the pictures on this page were taken during a Spanish national championship, with the evocative name of El Toro Andaluz (the Andalusian Bull).

La costa gaditana entre Tarifa y Barbate se ha hecho célebre entre los entusiastas windsurfistas del mundo entero, y a ella acuden desde todas partes para practicar su deporte favorito. Durante los campeonatos mundiales que se celebran anualmente, las calles de Tarifa tienen bastante parecido con las de Maui en Hawaii, y casi todos los coches, muchos con matrículas extranjeras, llevan un montón de "tablas" encima.
Pero Tarifa no es para los principiantes. A ellos les conviene hacer prácticas previas en las recogidas bahías de Cádiz y Algeciras, en los tranquilos pantanos de Arcos y Bornos o en las serenas playas gaditanas del lado mediterráneo.

The 40-kilometer stretch of coast between Tarifa and Barbate has come to be world renowned for its exceptional windsurfing conditions. Tarifa annually hosts several national and World Class championships.

Algunas playas y calas de arena fina de la provincia de Cádiz siguen casi tan desérticas y salvajes como cuando las hizo su Creador. Ese retorno a la naturaleza de la ola, la duna y la playa virgen es un privilegio que cada dia se hace más escaso por el Mediterráneo; pero no por Cádiz y por su extendida costa que bañan dos mares.

One can still find fine sand beaches, dunes and coves in Cádiz that are as deserted and wild as the day they were created. This "return to nature" is becoming an increasingly rare privilege anywhere on the Mediterranean coast, but not in Cádiz, with its miles of virgin coastline on two different seas.

Izquierda y Arriba: Estas alegres casetas multicolores son tradicionales en la playa de San Lucar de Barameda.

Derecha: La playa de Cadiz es ideal para estar "en familia".

Left and above: These gaily striped beach huts are a traditional fixture on the beach of San Lucar de Barameda.

Right inset: The gently sloping beach of Cadiz is ideal for family outings.

Cruzando la bahía justo enfrente de Cádiz encontramos Puerto Sherry, un imponente y novedoso puerto con su marina, capaz de albergar y dar servicios a centenares de yates. La habilidad de sus arquitectos reside en el hecho de que han eludido la fácil trampa de darle una mano de cal a todas las superficies para que eso haga "más andaluz". En su lugar han buscado una fresca gama de colores que refleja con verismo la variopinta realidad de la ciudad de Cádiz.

Izquierda: Un rayo de luz crepuscular ilumina uno de los bares que dan vida al flamante puerto marinero.

Just across the bay from Cádiz is the fishing village of Puerto Sherry with its impressive marina for hundreds of yachts. The village happily eschews the cliche "whitewashed" facades, typical of Andalusia, for multicolored pastels which perfectly reflect the reality of the city of Cádiz itself.

Left: The late afternoon sun slants into one of the bars which enliven the "village scene."

Páginas siguientes: La Cartuja, en las afueras de Jerez, es uno de los monumentos más visitados de la comarca por su hermosa y bien proporcionada fachada de puro estilo barroco. Ultimada en 1571, sigue funcionando como monasterio cartujo.

Following pages: The Cartuja, an often visited monument on the outskirts of Jerez, has one of the loveliest and best-proportioned baroque facades extant in Spain. Begun in 1478 and finished in l571, it still functions as a Carthusian monastery.

Algeciras, por su privilegiada situación a la entrada misma del Mediterráneo es "Puerta de Africa" y, como tal, uno de los puertos de pasajeros más activos del mundo. El flujo de transbordadores con el norte de Africa es constante y no para en las veinticuatro horas del día. Algeciras es también uno de los principales puertos de carga de España. Resulta asombrosa la agilidad y rapidez con que sus grúas cargan y descargan los grandes buques de contenedores. Y en esta actividad, el tiempo sí que es dinero.

At the very entrance of the Mediterranean, Algeciras can truly be called the "gateway to Africa" as attested by the constant flux of ferryboats to and from the North African coast. Equally important is Algeciras's role as one of the principal cargo ports of Spain. With astounding speed and agility, its giant cranes load and unload container ships, because in shipping, time truly is money.

Otra vertiente importante de la actividad industrial en la provincia es la construcción y reparación de buques. Las factorías de Astilleros Españoles de la bahía gaditana son las primeras de Europa y las cuartas del mundo en capacidad.

Arriba: Estos obreros aprovechan un descanso para fumarse un cigarrillo y bromear.

Shipbuilding is one of the leading industries in the province. Astilleros Espanoles in the bay of Cádiz has the largest shipbuilding facility in Europe, and the fourth largest in the world.

Above: These workers take a break at the end of their shift to have a smoke and exchange pleasantries.

Arriba: Los Astilleros al anochecer se vuelven abstractos y encuentran una calma que se contradice con la frenética actividad diaria.

Izquierda: La nueva torre de telecomunicaciones de Telefónica, con su tecnología punta, ya forma parte ineludible del perfil urbano de Cádiz, y hasta tiene apodo: el muy apropiado de "pirulí".

Above: At dusk the shipyards take on a surreal air and an atmosphere of calm that belies their frenetic daily activity.

Left: The new high-tech communications tower of the national phone company, Telefonica, is now a highly identifiable part of Cádiz's urban landscape. It already even has a nickname—"the lollipop"!

El corcho prospera en los montes gaditanos, donde todavía puede verse la estampa de las mulas cargadas con las cortezas de los alcornoques.

Cork is yet one more product that flourishes in the province of Cádiz. Occasionally mules are still used to transport the freshly harvested bark.

Radicadas sobre todo en Jerez, las ganaderías gaditanas mantienen con especial cuidado la casta del toro bravo. En la tienta se prueba la bravura de la res joven mediante las faenas ecuestres del acoso y derribo. Las reacciones de la vaquilla quedan apuntadas y determinan si tiene la fiereza necesaria para producir nobles ejemplares del toro de lidia.

Páginas siguientes: La vaquilla enfurecida, embiste a los caballos.

To ensure a steady supply of brave bulls for the national corrida, the breeding farms of Andalusia engage in the "tienta," the testing of young cows for the fierce mettle that will yield toros bravos. Typically the young cow, is taunted by a horseman during what is called the "acoso y derribo". Her reactions are carefully noted and graded to decide whether she merits being bred.

Following pages: The furious young cow charges the horses.

Mucho antes de que las escuelas de Ronda, Sevilla, y la de Chiclana con "Paquiro", fijasen las reglas del toreo a pie, los toros se lidiaban y mataban a caballo mediante el arte del rejoneo. Es lógico que este arte tan particular floreciera en las tierras de Jerez, famosa por la cría tanto de caballos como de toros. Hoy el rejoneo ha perdido bastante de su protagonismo y sólo figura ocasionalmente en los carteles. Lo que es de lamentar, porque, en manos de un experto, el rejoneo es un arte de espectacular y emocionante belleza. Una leyenda del rejoneo, Alvaro Domecq, de la renombrada familia bodeguera y ganadera de Jerez, hace prácticas de banderillas.

Jerez, a land famed for the breeding of fine horses and fighting bulls, naturally enough has produced some equally great "rejoneadors" or bull-fighters on horseback. Here, Alvaro Domecq of the famed sherry family and a legend in the art of rejoneo practices placing the banderillas.

▶ Una bella estampa de toros bravos pastando en el primaveral campo jerezano.

▶ *Following pages: A formidable presence even in repose, these fully grown fighting bulls graze in a springtime pasture.*

◄ Páginas anteriores: El
rejoneador Rafael Peralta da
muestras de su arte
inconfundible en la plaza de
Jerez.

◄ *Previous pages: In the
bullring of Jerez, the rejoneador
Raphael Peralta comes
perilously close to the horns.*

Las cualidades de las tierras de Jerez producen esa enorme esmeralda viva que son sus viñedos, padres de célebres vinos con personalidad única y eco mundial. Son los olorosos, finos o amontillados, los vinos del "Marco Jerez", que encuadran al Puerto de Santa María y Sanlucar.

The soil of Jerez (which includes Puerto de Santa Maria and Sanlucar) is uniquely suited to the cultivation of the grapes that produce jerez (sherry wine), prized since the time of Shakespeare for its distinctive flavor, and exported worldwide.

Los vinos de Jerez deben su bondad a combinar, en botas de roble, caldos añejos y jóvenes de primera clase. Para estas botas o toneles, sólo se utiliza el roble blanco americano. Maestros artesanos de la zona, como los que aquí vemos de Sanlucar, confeccionan estos recipientes con unas técnicas artesanales tan antiguas como las que requiere la crianza del propio vino. La quemazón de las botas da un delicado regusto adicional a los whiskies escoceses, para cuyo proceso de envejecimiento se siguen utilizando toneles gaditanos.

Be it "fino," "amontillado," or "oloroso," sherry is a product of the solera system that blends young and vintage wines in barrels of American oak to ensure consistent quality. Master craftsmen (these in Sanlucar) fashion the barrels out of oak staves and iron hoops, relying on techniques as old as those used in the winemaking process itself. Some of the barrels are "charred" (far right bottom) for export to Scotland where charring is considered essential to the taste of certain prime-aged whiskeys.

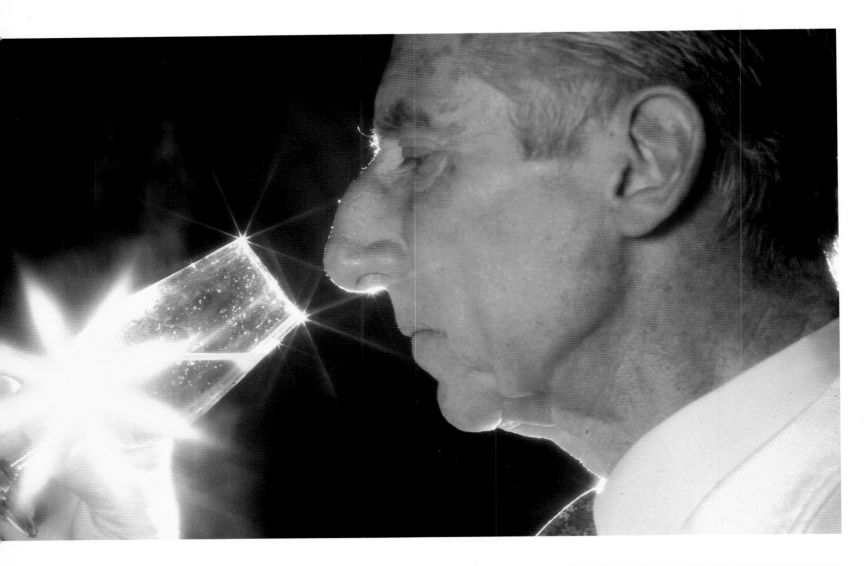

Derecha: En la penumbra de las bodegas jerezanas el tiempo se detiene igual que en una catedral. El proceso de envejecimiento también implica todo un ritual.

Arriba: Un venenciador deja caer el vino de su venencia a la estrecha copa, con lo que realza su aroma.

Arriba del todo: Una nariz experta capta sutilezas que pasarían desapercibidas para un bebedor común.

Right: In the cathedral-like penumbra of the bodegas, time stands still.

Above: The aging process, too, has its rituals. A veneciador pours the sherry from his wand, to aerate it and release its full aroma.

Top: A famous "nose" seizes on all the subtleties of a sherry wine, imperceptible to the untrained, everyday drinker.

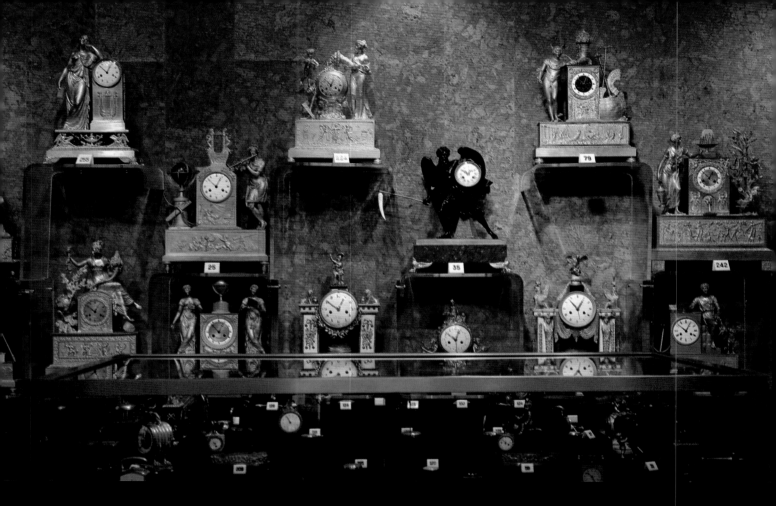

El Tiempo hecho Arte. Una
definición válida para el
spléndido Museo de Relojes en
erez. La colección fue obra del
controvertido empresario
erezano Ruiz Mateos, quien
osteriormente la cedió al
gobierno provincial.

Página derecha. Este bello reloj
rancés se encuentra en el Salón
Regio de la Diputación de
Cádiz, antigua Aduana de
ndias, donde, para una visita de
a reina Isabel II, se construyó el
untuoso Salón citado.

*Time becomes art in Jerez's
splendid clock museum, which
boasts a fine collection amassed
and later ceded to the provincial
government by the controversial
Spanish entrepreneur Ruiz
Mateos.*

*Opposite page. This ornate
French clock sits on the mantle
of the Regal Salon of the Cádiz
regional government building.
The salon was built in record
time for the state visit of queen
Isabel II at the end of the 19th
century.*

EL CABALLO ANDALUZ

Para apoderarse de España y anticipándose en el siglo VIII al blitz krieg, el islam hizo del caballo una adiestrada máquina de guerra, la misma arma con que los andaluces le replicaron, criando una raza caballar capaz de oponerse a la africana. Cuando a comienzos del siglo XIX invadió las tierras españolas, Napoleón se llevó esa riqueza, excepto unos soberbios ejemplares astutamente escamoteados al francés por los frailes cartujos; de ahí proviene el nombre "cartujano" que se aplica a esta raza de bellos e inteligentes corceles, un prestigio actual de Jerez, El Puerto y la provincia gaditana toda. La equitación comarcal llega a su máximo lucimiento en las Ferias jerezana y portuense, y sobre todo en las vistosas exhibiciones de la Real Escuela de Arte Ecuestre.

THE ANDALUSIAN HORSE

In an eighth-century version of the "blitzkrieg," desert Arabs crossed the straits of Gibraltar and rode their four-legged "war machines" to swift victory over southern Spain. Forced to fight fire with fire—or horses with horses—the Gaditanos began breeding their own fierce, gallant steeds to regain their land. When Napoleon's forces invaded in the early 19th century, they took with them all the prime breeding stock save that of the wily Carthusian monks, who successfully hid their studs and thus forever gave their name to the strain of fiery, intelligent horses that are a hallmark of Cádiz's cultural and social life. Panoply and fanfare are fundamental to the provinces's horsemanship tradition, which reaches the pinnacle of pageantry in the annual Jerez Horse Fair and the intricate dressage displays of the Royal Andalusian School of Equestrian Art.

© Esta mezquita Jerezana del siglo XIII sirve de marco idoneo para este belo ejemplar de la raza equina arabo-andaluza.

© *The Moorish arches of a 13th-century mosque in Jerez de la Frontera frame the elegant lines of a fine Carthusian stallion.*

Con mimo y orgullo, un palafrenero adorna de borlas o madroños a uno de los "divos" de la Real Escuela antes de su salida a escena.

In preparation for a performance in the Royal riding school's ring, a star horse's mane is adorned with pon pons.

Arriba: Los caballos jerezanos de alta escuela aprenden y ofrecen un complicado ballet hípico.

Izquierda: Caballistas de la Real Escuela vestidos a la antigua usanza andaluza fortalecen a sus monturas en las arenas playeras de la bahía de Cádiz.

Above: In a performance at the Royal Andalusian School of Equestrian Art school, horse and rider engage in an equine ballet of complicated and perfectly executed maneuvers.

Left: Dressed in traditional l8th-century equestrian costume, riders exercise their mounts on the sand of the bay of Cádiz.

Pepe Matas, mayoral de la Real Escuela, posa con su "Caballo de oro", codiciado trofeo otorgado cada año a relevantes figuras del mundo equino. Detrás de él están los aparejos y adornos de los seis caballos negros que tiran de su fascinante y cascabelero carruaje.

Pepe Matas, the Riding School's carriage master, poses in the tack room with his "golden horse" trophy, a coveted award given each year to a relevant horse world figure.

Arriba del todo: Caballos pastando junto a un embalse, en una finca cercana a Jerez.

Arriba: Dos jinetes camino de la Feria, con su tradicional traje corto.

Top: Horses being taken out to graze by a reservoir on a farm near Jerez.

Above: Two riders attired in the traditional "traje corto" ride out to the Fairgrounds.

Las más antiguas carreras de caballos de España aún se celebran cada mes de agosto en la playa de Sanlúcar de Barrameda. Al atardecer, jinetes y caballos recrean unas imágenes con mucho pasado y mucha solera.

The oldest horse race in Spain is still re-enacted each year in August on the beach of San Lucar de Barameda. In the late afternoon sun, horses and riders thunder past on the hard-packed sand.

► Páginas siguientes: Si Dios hubiese querido que los caballos volasen, les habría dado alas, como al legendario Pegaso. Durante algunos segundos espectaculares, este jinete y su caballo, ambos de la Real Escuela, se burlan de la ley de la gravedad, y de toda lógica, emprendiendo este breve viaje por los aires que lleva el bonito nombre de "Cabriola".

► *Following pages: For a few spectacular seconds, this horse and rider from the Royal School defy the laws of gravity in that most difficult of equine feats— the "Cabriole"!*

Paradas y alardes ecuestres hacen
única la Feria del Caballo, y los
carruajes históricos le añaden
tanta prestancia como poder de
evocación, recordando un
pasado poco lejano, cuando eran
un elemento indispensable y no
tan sólo se lucían en ocasiones
especiales.

*During Jerez's annual April
Horse Fair, antique carriages
powerfully invoke a not-so-
distant past in which horse and
carriage were part of daily life,
and not just brought out on
special occasions.*

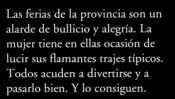

Las ferias de la provincia son un alarde de bullicio y alegría. La mujer tiene en ellas ocasión de lucir sus flamantes trajes típicos. Todos acuden a divertirse y a pasarlo bien. Y lo consiguen.

"Ferias" or fairs are the high notes of the provincial social calendar, punctuating the year with joyous fun, For the women it is a chance to show off their spectacular new finery. All come to the fair to have a good time. And they get it!

El arte flamenco o gitano andaluz incluye ingredientes milenarios y en los varios ámbitos gaditanos no hay fiesta que se celebre sin sus modalidades más vivaces y alegres. Música, cante y baile envolventes, brujos... El grupo "La Perla de Cádiz" hace alarde de su arte en el escenario.

Centro abajo
Las bailarinas del grupo "Albarizuela" en plena evolución.

Flamenco, the passionate, flamboyant art of Spain's southern Gypsies is an integral part of any Andalusian fiesta. The syncopated strains of the guitar and hoarse, haunting outbursts of the singers are countered with the stamping of feet and twirling flounces and fringe of the dan-cers. Here, La Perla de Cádiz group performs on stage.

Center botton
Dancers of the Albarizuela company in full twirl.

Involuntaria pero injustamente, la proximidad de Sevilla disminuye un poco la fama que merecen las Semanas Santas gaditanas, debido a la belleza y sabor de esta celebración en pueblos tales como Jerez, Arcos, Setenil o en el mismo Cádiz. He aquí el aspecto de la Calle Larga de Jerez a la salida de una popular cofradía.

The famous Holy Week of Seville, which is nearby, has unfairly overshadowed those of Cádiz province, especially in view of the beauty and singularity of the processions in such villages as Arcos, Setenil or in the capital of Cádiz itself. Here is a view of Jerez's Calle Larga as a "paso" leaves its sanctuary.

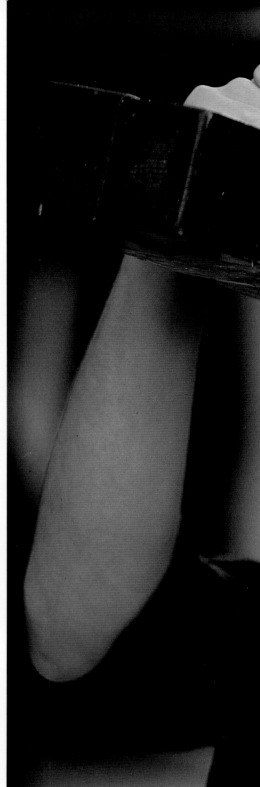
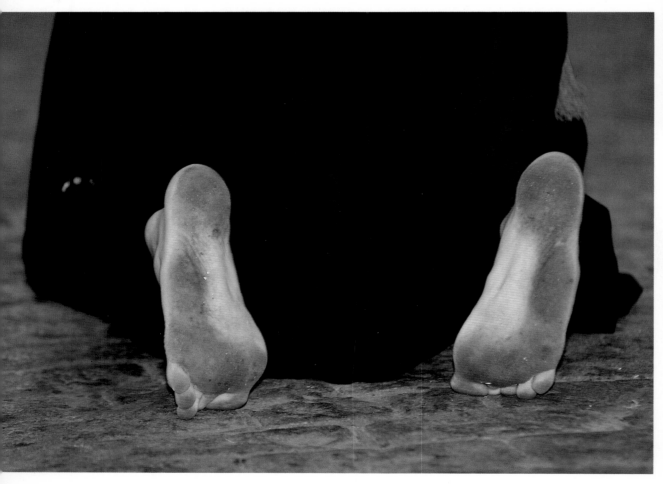

Pies descalzos, cruces de promesa o de gratitud religiosas, duros cíngulos de esparto, la cara triste de un niño... Es el lado más severo y penitencial de las procesiones.

Bare-footed penitents carrying crosses, their waists bound with harsh ribbons of twine, a child's haunting face. . . . This is Holy Week at its most devout and penitential.

Arriba: Por las estrechas calles de Arcos, esta procesión pasa delante de un tenderete con sus alegres globos multicolores.

Derecha: Un "niño tamborero" hace prácticas para el futuro.

En la página derecha: Durante una pausa y sofocado de calor, un penitente abandona el anonimato que le brinda su capucha.

Above: This procession wends its way down the streets of Arcos de La Frontera, past incongruously colorful toy balloons.

Right: A "little drummer boy" emulates his elders.

Opposite page: During a pause in the intense heat, a smiling "penitent" forsakes his anonymity.

De entre los muchos cantes flamencos, la saeta es el único religioso, y cuenta con casi treinta estilos distintos. Se canta en la calle, solamente dirigida a los Cristos y Vírgenes, y la tradición popular le atribuye mala suerte si se oye o interpreta fuera de Semana Santa. En las fotos algunos saeteros, entre ellos el célebre "Latiguera" de Arcos.

Among the entire repertoire of flamenco singing, only one, the "saeta," is religious. It is an emotional tribute to the passing Christs and Virgins, and popular tradition considers it bad luck to sing or even hear a saeta outside of Holy Week. Among the "saeteros" shown is the famous Latiguera of Arcos.

◄ Páginas anteriores: El puerto de Cádiz iluminado de gala en vísperas de la salida de los grandes veleros que participaron en la gran regata Colón 92.

◄ *Previous Pages: The harbor of Cádiz, aglow with the lights of "tall ships" on the eve of their departure for the transatlantic leg of the great Columbus regatta.*

Izquierda: Marineros del buque escuela Gloria, de la Marina boliviana, esperan el momento de zarpar.

Arriba del todo: Los reyes de España, Juan Carlos I y Sofía, saludan a la multitud desde el balcón del Ayuntamiento de Cádiz.

Arriba: Oficiales del buque español "Juan Sebastián El Cano".

Left: Sailors of the Bolivian tall ship, "Gloria" await the moment of departure.

Above top: The King and Queen of Spain, Juan Carlos and Sofia, salute the crowd assembled in front of Cádiz's city hall.

Above: Officers of the Spanish school ship Sebastian El Cano.

Más de doscientos veleros, con treinta y tres de gran eslora. Tripulaciones de cuarenta países: rubios marineros noruegos junto a atezados pilotos mexicanos o asiáticos, y la música de Omán mezclándose en las calles gaditanas con la de Uruguay o la de Rusia. Medio millón de visitantes, encabezados por los reyes de España. Treinta televisiones de todo el mundo. Un espíritu de afable convivencia multitudinaria. Y un moderado viento norte para agraciar la partida de la Flota. Todo ello entegraría el acontecimiento que devolvió a Cádiz durante una semana, en la primavera de 1992, el vivísimo ambiente urbano y portuario del siglo XVIII, cuando el monopolio comercial de América enriqueció la ciudad y la bahía.

La gran regata Colón 92, "Armada Increíble" o "Expo del Mar" según la llamaron algunos, fue tal vez la mayor exhibición naútico-deportiva celebrada hasta hoy, y Cádiz su escenario más adecuado.

More than 200 sail boats, 33 of them four-masted "tall ships"; crews from more than 40 countries; a steady wind from the North to get the fleet underway. Such was the great Columbus regatta which some journalists described as the "Incredible Armada." For a week in the spring of l992 Cadiz relived its former seafaring glories.

El novísimo Estadio Olímpico de Jerez, uno de los mejores del Sur, compartirá pronto el estrellato futbolístico provincial con el veterano "Ramón de Carranza" de Cádiz, sede del más antiguo y ensolerado de los torneos cuadrangulares de fútbol internacional: el Trofeo Carranza.
Ambos campos disponen de espacios para la práctica de otros deportes.

The Jerez soccer team plays a home game in Jerez's spanking new Olympic stadium, one of the best in Andalusia. The stadium is also equipped to host track meets and other sporting events.

Sotogrande y el polo son sinónimos en España. Esta urbanización de élite organiza competiciones internacionales y tambien juegos amistosos, como éste para sus propios residentes.

Sotogrande and Polo have long been synonymous in Spain. The elite resort hosts international competitions as well as practice match, such as this one, for its polo-playing residents.

Cádiz ya tiene varios campos de golf a nivel international, y varios más se están planificando. El golfista en el jersey azul es Seve Ballesteros, el primer jugador Español en ganar el famoso "Open" Americano, y otros muchos trofeos más.

Cadiz already has several championship golf courses, with more on the drawing boards. The fellow in the blue sweater is Seve Ballesteros , Spain's best known professional golfer, during a championship match.

El mundo del motor de competición (bólidos, rallys, "Fórmula 1", motociclismo) se suma ahora a la tradición jerezana de deportes de elite como el golf o el polo, también vinculables a arraigados ingredientes anglosajones de la ciudad de los vinos. Jerez tiene hoy un sitio en el fragor y la fama de las carreras mundiales, y su circuito a ellas destinado -su ofrenda a la velocidad- es de los más jóvenes de España.

Jerez can now add a heady whiff of speed to its many other attractions. Its recently inaugurated racing circuit with Formula One world championships and motorcycle competitions brings in participants and spectators from all over.

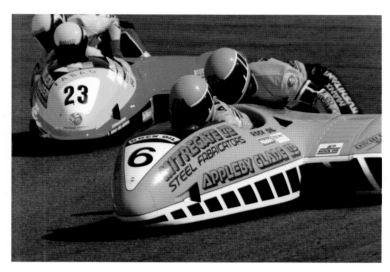

El juego es un aliciente más de la vida nocturna gaditana, y su marco idóneo es el Gran Casino de la Bahia de Cádiz, donde la suerte suele acompañar a los valientes. En estas páginas recogemos unos momentos en el emocionante juego de la "roulette."

Gambling is a glittering additon to the night life of the province, and the place for it is the Gran Casino of the Bay of Cádiz, where Lady Luck tends to smile on the brave. Here, an emotional moment at the roulette table.

Carnaval

Citado ya en el siglo XVII, el Carnaval gaditano es el más divertido y acogedor de España, y el único en el mundo totalmente cantado.

Durante todo el año, los conjuntos carnavalescos hacen un largo esfuerzo para presentar un disfraz lujoso y un ramo de canciones originales, con música de tanguillo, pasodoble, cuplé o popurrí, y letras líricas, eróticas, satíricas o de inflamada crítica política.

Esas agrupaciones abarcan desde el amplio *coro* en carroza, con cuarenta o más cantores, hasta las de a pie: *comparsas* de doce o quince individuos, *chirigotas* con menos componenetes, y los esperpénticos *cuartetos* y *tercetos*.

Carnival

Already famous in the 18th century, Cádiz's carnival has no equal in Spain. What makes it so excitingly unique is that it is entirely "sung."

All year long the groups which will participate spend most of their savings on lavish costumes. An equal amount of ingenuity and talent is expended on the satirical lyrics that they belt out to their highly receptive audiences. No political or public figure is spared the barbs of their malicious wit.

The groups or "agrupaciones" range in size from the "coros", which may have as many as 40 or more members, to the "comparsas", with a dozen or so, to the "chirigotas", which may consist of four or five friends.

► En el escenario del Gran Teatro Falla el coro, Guanahani, actúa con brío ante los jueces y público reunidos para presenciar el fallo del premio a la mejor agrupación.

► *On stage of the "Gran Teatro Falla" the coro, Guanahani, punches out its lyrics for the jury in the grand finale of the fierce annual competition for best "group."*

De derecha a izquierda: Mujeres luciendo el traje típico gaditano a la entrada del Gran Teatro Falla.

El teatro se agita en una oleada de pompones verdiblancos mientras el público entona el himno de Andalucía.

Desde su palco, las primorosas Ninfas del Carnaval contemplan el espectáculo.

En el Falla, el espectáculo no esta tan sólo en el escenario sino también entre el público, que en su gran mayoría acude disfrazado.

Counterclockwise: Women in traditional Cádiz costume entering the Moorish-inspired facade of the Gran Teatro Falla (near right).

The interior of the theater is a moving sea of green and white "pon pons" as the audience sings the hymn to Andalusia.

The loveliest girls of Cadiz, "Las Nymphas" or nymphs of Carnival watch from their balcony.

Inside the Falla theater the show is not just on stage since almost everyone comes in costume.

Arriba: En un camerino del Falla, la popular chirigota "El que la lleva la entiende" ensaya antes de salir al escenario.

En el vestuario carnavelesco, la imaginación y el arte popular del pueblo gaditano alcanzan su mejor expresión. Los sábados de Carnaval hay que andar por el marinero barrio de "La Viña", donde todos van disfrazados.

Andalucía también se viste de Carnaval.

Top: Backstage at the Falla, finalists of the group, "El que la Lleva la Entiende," rehearse before going on stage.

On the Saturday night of Carnival the place to be is a popular fisherman's neighborhood known as "La Vina"—everyone is out in the street and in costume.

A mediodia de los dos domingos carnavalescos el ambiente se centra alrededor del mercado de abastos de Cádiz, donde se reúne y se remueve el pueblo llano para oir los conjuntos con sus coplas y a alternar con los amigos. Es un ambiente muy especial—como lo tiene siempre el mismo Cádiz

At midday on both Sundays of Carnival the place to be is in the immediate surroundings of the covered marketplace where all of Cádiz meets to hear the groups perform. Everybody mingles, drinks, lets loose and has fun.

► Páginas siguientes: El popular coro, "Los Pájaros", que también agracia con su hermoso plumaje nuestra portada, en plena y espectacular actuación.

► *Following pages: A highly popular group, "Los Pajaros," or The Birds, whose bright plumage also grace the cover, provide a fitting finale to Cadiz's justly famous carnival.*

Diseño Gráfico/Book Design
Jones & Janello con/with Sandra Kelch

Textos en Español/Spanish language Text
Daniel Aubry

Textos en Ingles/English Text
Lisa Beebe con/with Daniel Aubry

Adjuntos a Fotodiseño, S. L./Assistants to Fotodiseño, S. L.
Roberto Dupuy de Lome, Natalia Molinos, Esther Sarfatti

Dirección Editorial/Managing Editor
Jordi Marsé

Coordinación Editorial/ Editorial Coordination
Blanca Marsé

Todas las fotos en este libro son © 92 Fotodiseño, S.L. y fueron
tomadas por Daniel Aubry excepto:
All photos in this book are © 92 Fotodiseño, S.L. and were taken by
Daniel Aubry except:

© 92 Roberto Dupuy de Lome – 2 fotos/photos
© 92 Luis Gil – 3 fotos/photos
© 92 Joaquin Hernández Conde (KiKi) – 7 fotos/photos
© 92 David Hornback – 9 fotos/photos
© 92 Jose Lucas Ruiz – 10 fotos/photos
© 92 Manuel Pielfort – 9 fotos/photos

© Excma. Diputación de Cádiz, 1992
Pza. España, s/n.
11071 CADIZ

© Para esta edición
Editorial Estelar, S.L., 1992
Provenza, 292, 1º 2º A
08008 Barcelona (España)

Primera edición: agosto de 1992
Depósito legal: B-25197-1992
ISBN: 84-7997-003-0 (edición bilingüe)

Fotomecánica:
Reprocolor Llovet, S.A., Barcelona

Impresión y encuadernación: GRAFOS, S.A.
Zona Franca, Sector C –Calle D, nº 36– E 08040 Barcelona

Papel: Estucado Gala de 180 grs.
Printed in Spain – Impreso en España

Agradecemos a la Telemundi S.A., el uso de 1 foto del Sr. Aubry,
perteneciendo al archivo de la Sociedad./We express our gratitude
to Telemundi, S.A. for the use of photos taken by Mr. Aubry and